모리아 MASTER

하이어라키 5

발　행 | 2024년 02월 01일
저　자 | 모리아 대사
번　역 | 임창균
편　집 | 정재훈
펴낸이 | 최일해
펴낸곳 | 매직머니
출판사등록 | 제2019-000009호
주　소 | 경기도 양주시 고암길 154-21
전　화 | 010-2231-9977
이메일 | sita7@naver.com

ISBN | 979-11-92435-15-2

정　가 | 12,000원

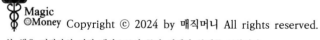

HIERARCHY 5

식물계와 비교했을 때 동물계는 훨씬 실현 가능한 실험들을 제공한다.

누군가 아그니 요가를 이해한다면, 그 사람은 인간이 동물에게 영향력을 미친다는 점을 어느 정도 이해할 것이다.

화, 두려움, 자신감이 동물에게 전달되는 것을 어느 정도 볼 수 있다.

요가 수행의 법칙은 '생명을 앗아가는 눈'부터 부활까지 뻗어 있다.

하지만 다수의 중간 단계를 통해 다양한 영향을 관찰할 수 있다.

아그니 요가에 접근한 자들은 경솔한 행동이 어떤 결과를 불러오는지 주의받을 것이다.

익숙해져야만 하는, 단순한 자기 훈련으로 얼마나 많은 좋지 않은 결과를 피할 수 있는가.

억제되지 않은 분노로 인해 수 세기에 걸쳐 축적한 성취가 얼마나 많이 사라지는가.

자기 완전함에 대해 생각해야 한다.

하이어라키가 항상 뒷받침하는 영(靈)의 우세함을 자신 안에서 일깨워야 한다.

영(靈)을 향해 다가가려 하지 않으면
영의 우세함은 일어나지 않는다.

지상의 삶은 일시적이고 무한자는 불변한다는 점
을 깊이 이해해야 한다.

아그니 요가는 무한성 및 하이어라키와 끊을 수
없는 관계다.

이와 마찬가지로, 멀리 떨어진 세상들의 반사 작
용을 포함하는 가슴이라는 소우주로 자신을 이동
시킬 수 있다.

지구를 인도하는 리듬들을 마음속으로 이해하는 것은 얼마나 매혹적인가!

소란스러운 시기에는 그것이 쉽지 않다.

하지만 우주 자석에 충실한 것은 얼마나 경이로운가.

모든 우주적 교란은 필수적인 현현들에 반영되고 그 현현들로 인해 서로 강화된다.

각각의 에너지는 필수적인 현현에 상응한다.

따라서 모든 오래된 토대의 불균형과 파괴가 지구에서 확인될 때 지하의 불과 회오리바람과 지각의 물리적 파괴가 아주 강화된다.

하이어라키의 불의 신호가 지구에 확인될 때 조건들은 강렬한 불에 따라 강화된다.

그러므로 위대한 확약은 하이어라키라는 생명의 지고의 불로 인해 발휘된다.

그대는 스승의 결정에서 오점을 발견할 수 있는가?

그렇지 않을 것이다.

만약 그렇다면 그 스승은 스승에 걸맞지 않다.

그런데 그대는 자신의 행동을 보증할 수 있는가?

오점은 형제단에 반대되는 것이다.
오점은 퇴보이고, 상승은 진화다.

우리는 진화를 제공한다.
누군가는 명령과 경고 그리고 분노를 발견할 수
있을 것이다.

하지만 우리의 사역에 오점은 없다.

우리의 적수조차 하찮은 존재가 아니다.
두 유형의 사람은 매우 다르다.

어떤 이는 작은 암시만으로도 위대한 무언가를
창조한다.

반면, 어떤 이는 아름다운 영상을 보고도 혐오스
러운 형상을 창조한다.

각자 자신의 의식에 따라 판단한다.

누군가는 가슴속에 위대한 것이 있고

누군가는 물에 담갔다가 써야 하는 마른 버섯 같은 가슴을 가지고 있다.

진실로, 모든 실수를 만회해야 한다.

이를 명심하라.

404

반역자의 셔츠는 불탄다고 한다.

병든 심령 에너지가 접근하면 일이 엉망이 된다.

405

모든 센터가 불같이 강화될 때는 우주적 변화와 상응성이 있어야 함을 뜻한다.

그 신호들은 정확하며, 우주와 아그니 요가 수행자 사이의 긴밀한 유대로 확인된다.

따라서 그 유대는 우주의 모든 흐름과의 일치를 드러낸다.

그러므로 노력하는 아그니 요가 수행자는 모든 불의 현현과 즉각적인 반응을 보인다.

따라서 건강을 지켜야 한다.

아주 중요한 시기다.

우주는 진동하고 회오리바람은 강력하다.

때를 잡으라!
그래서 하이어라키와 연결을 이루라.

여행자는 길 안내가 필요하다.

성공은 아주 민감한 꽃이다.
그 씨앗은 정해진 시간에만 심어야 한다.

제때 집을 나서야 한다.

스승이 씨를 뿌리라고 할 때
그 순간을 놓쳐서는 안 된다.

어린아이만이 오늘이 지나가면 더 나은 내일이
올 거로 생각할 수 있다.

그러나 용기 있는 사람은 한 번 놓친 성공은 되풀이되지 않음을 이해한다.

태양도 한결같이 빛나지는 않는다.

이해력을 더 계발해야 한다.

시간의 복잡성은 증가할 것이다.

어제를 구별하지 않는 사람은 내일 지략을 잃게 될 것이다.

스승은 지체 없이 씨를 뿌려야 할 때를 예견한다.

407

허리케인은 황금 무더기를 물가로 옮길 수도 있다.

이와 마찬가지로 인간의 혼란도 보물을 만들 수 있다.

혼란은 에너지를 강화한다.

스승은 한시도 눈을 떼지 않는다.

스승은 감지할 수 없는 기능들을 관찰한다.

스승은 누가 구별될 것인지, 누가 선물을 받을 수 있을 것인지 안다.

408

영(靈)의 왕들은 어디에 있는가?

사람들은 종종 자신을 영의 왕 수준에 올려 둔다.

영의 왕의 가장 필수적인 자질이 자신의 대제사장을 따르는 것임을 잊은 채 말이다.

대제사장을 거부하고도 영의 왕 수준에 오를 수 있는가?

대제사장을 깎아내리는 것을 통해 자신에 대한 존중을 기대할 수 있는가?

대제사장에 반대하는 자들이 자신의 지울 수 없는 얼룩을 감당하는가?

따라서 인류가 진정한 영의 왕이 되는 법을 명심하고 숙고하도록 하자!

이렇게 하여 영의 왕이 되고자 하는 자들에게 경고할 수 있을지도 모른다.

우월감을 버림으로써 왕과 같은 영의 단계에 도달한다.

명백한 자기 파멸의 길을 버림으로써 영의 왕의 단계를 보장받을 수 있다.

그러므로 각자 대제사장을 따를 것을 권고한다.

따라서 우리는 대제사장을 따르는 사람과 거부하는 사람 그리고 드러내 놓고 신에 반대하는 사람들의 명부를 가지고 있다.

대제사장에 반대하는(비록 몇 번이더라도) 각각의 인생은 아주 복잡해지게 된다.

그것이 삶의 법칙이기 때문이다.

그러므로 대제사장을 따르는 것이 얼마나 중요한 일인지 깨달아야 한다.

이와 같이, 중요한 때가 증명되어야 한다.

이와 같이, 그 현현한 시간을 이해해야 한다.

이와 같이, 우리는 새 시대를 증명한다.

어둠의 존재들은 화가 나 있으며 두려움에 떨고 있다.

하지만 우리는 악보다 강하다.

따라서 모든 두그파는 스스로 절멸을 선고한다.

하이어라키를 부정하는 자들이 다시 와서 하이어
라키가 강압을 사용한다고 말할 것이다.

그러면 그대는 그들에게 이렇게 말할 것이다.

"하이어라키는 강압과는 아무 관련이 없다.
하이어라키는 법칙을 드러낼 뿐이다."

우리는 그 어떤 강압에도 반대한다.

우리는 협력자들의 동의 없이 에너지를 인도하지
않는다.

우리는 표피적이고 강제적인 모든 것은 무익함을
안다.

우리는 건설자와 마찬가지로, 협력자들을 호출한다.

하지만 우리는 우리의 배가 필요하지 않은 사람이 바다를 건너도록 놓아둔다.

비록 그 사람이 대막대기에 의지해 건너더라도 말이다.

그러나 사람들은 종종 협력이 무서워 지고의 존재와 접촉하기보다 진창에 뛰어들 준비가 되어 있다.

그대는 하이어라키 때문에 여러 번 사람들과 떨어져 있어야만 할 것이다.

그들이 무한을 받아들이더라도, 그들은 자신의 책임감을 느끼지 못할 것이다.

게다가 하이어라키의 법칙의 불가피성은 제한되고 이기적인 사람의 마음을 건드린다.

길이 더럽혀진 곳을 어디서 봤는지 고집하지 않도록 배우라.

누구도 카르마를 거스를 수 없다.

하지만 어리석은 많은 사람은 화내면서 하이어라키에 불경을 범한다.

하이어라키의 법칙이란!

411

세상이 부정이라는 암흑에 빠져들 때
낡고 부적합한 토대들의 파괴를 예상해야 한다.

달리 어떤 방법으로 세상을 재건하겠는가?

모든 부적합한 토대가 산산이 부서지지 않고서
어떻게 인류가 의식을 회복하겠는가?

인류가 새롭고 확약된 하이어라키의 대원칙을 깨
달을 때만이 구원을 보장받을 수 있다.

따라서 우리는 인류가 선의 하이어라키 원칙을 인식할 수 있도록 강하게 종용하는 것이다.

최고 개념들의 상실은 보상되어야 한다.

잃어버린 각각의 원칙은 어마어마한 격변을 가져오기 때문이다.

그러므로 인류는 하이어라키 원리에 따라 되살아나야 한다.

인류는 생각을 고쳐야만 새 도약할 수 있다.

공간의 긴장은 얼마나 지구를 감싸고 있는가!

거대한 우주적 충돌에 앞서 그러한 불길한 예감이
들게 된다.

따라서 우리 하이어라키를 받아들일 때 인류는
구제될 수 있다.

동시대의 티베트 승려들은 일이 너무 고되다고 생각하지 않는다.

사람들은 이렇게 말하기만 하면 된다.

"정말 아름다운 분이군요."

그러면 과일이 떨어질 것이다.

누군가가 느슨해지면, 티베트 승려는 친절하게 충고할 것이다.

"따르세요."

이렇게 하면 그 승려는 그 사람이 자신의 힘과 가능성을 간직하는 순간을 발견할 것이다.

분명히, 3번째이자 가장 사랑받는 방편은 여전히
금으로 남아 있다.

우리는 정도를 따르는 사람만 보호한다.

누군가가 어둠 속에서 흔들리면

그 사람은 광선의 영역에서 떨어지게 된다.

414

인간은 인생이라는 화환에 얼마나 가시를 집어넣는가!

인간은 삶 자체를 유지해 주는 원리들에 대항하려고 얼마나 힘을 낭비하는가!

인생을 퇴보시키는 불필요한 가시가 얼마나 많이 인간을 둘러싸고 있는가!

하이어라키의 법칙을 우선 이해하지 않고서는 지고의 지혜를 이해할 수 없다.

전체 삶의 토대가 되고 세상을 진보시키며 진화가 이루어지게 하며 역사의 최고 단계와 페이지를 마련하는 그 법칙을 말이다.

 인류는 하이어라키의 대법칙을 회피할 수 없다.

 하이어라키를 이해하지 못하는 자들이 나아가는
유일한 방향은 자기 파괴다.

 그러므로 하이어라키를 향한 가시는 어둠의 길로
변한다.

 하이어라키의 대법칙은 지도 원리로서 보호되어
야 한다.

작든 크든 하이어라키의 법칙으로 채워져야 한다.

이럴 때만이 위대한 미래를 만들 수 있다.

삶은 의식의 호의 융합을 통해 만들어진다.

하이어라키와 지도력은 우주의 법칙에 따라 보장된다.

그러므로 영(靈)의 창조성은 필수적으로 우주의 자석으로 채워진다.

따라서 지도자는 우주의 자석과 접촉하며
세상의 전체적인 포화는 이 위대한 법칙에 따라 강화된다.

이처럼 우리는

의식과 가슴의 융합을 통해 창조한다.

하이어라키는 목적에 맞는 협력 단체다.

우리의 가르침은 이렇게도 부를 수 있다.

'하이어라키'라는 오래된 그리스 단어에 신경 쓰지 말자.

누군가 이 단어를 전통적인 의미로만 이해한다면 그는 자기 두뇌가 협력할 준비가 되어 있지 않다는 점을 나타낼 뿐이다.

각각의 영(靈)은 자신의 카르마를 만든다.

각각의 나라 또한 자기의 카르마를 만들어 낸다.

확실히, 국가들은 지도자를 찾고 있다.

이미 쌓은 명망일지라도 잘못 생각하는 그런 사람들을 지탱할 수 없기 때문이다.

황금 같은 이름이든 천박한 이름이든 적용할 수 없는 충고든, 그런 것들로는 나라를 구할 수 없다.

불의 생각, 지도자의 불의 영(靈)은 새로운 길을 제공할 것이다.

따라서 영적인 지도자의 별이 우주적 변화의 시기에 밝게 빛나게 하라.

위대한 빛의 왕국이 오래된 세상의 폐허 위로 떠오르게 하라.

이렇게 하여 유인력이 위대한 힘으로 현현한다. 예정된 위대한 신세계의 시대가 온다.

따라서 하이어라키에 반하는 사람들에게 화가 있도다!

질병은 신성한 질병과 카르마로 인한 질병 그리
고 스스로 받아들인 질병으로 나뉜다.

처음 두 질병은 쉽게 이해할 수 있다.
하지만 이 책에선 스스로 받아들인 질병에 관해
꼭 언급하고자 한다.

누가, 무엇이 이런 질병을 받아들이게 하는가?

'무지'와 '실재하지 않는 것에 대한 두려움'이다.

그것들을 생각하지 않는 것만으로는 충분치 않다.

어린이들은 그런 것들을 생각하지 않지만
그들 역시 병에 걸리지 않는가.

사람은 의식적으로 자신을 보호해야 하며
신경 방사물로 된 튼튼한 갑옷을 만들어야 한다.

자신의 의식을 완전히 통제하면 심각한 전염병도
영향을 끼칠 수 없다.

심령 에너지라는 물질로 실험하면 사람 몸에 얼
마나 강력한 살균제가 있는지 알게 될 것이다.

이를 위해서는 두 가지 조건이 선행되어야 한다.

첫째, 심령 에너지를 인식할 수 있어야 한다.

둘째, 그 에너지를 증가시킬 수 있는 유일한 길
인 하이어라키를 인식할 수 있어야 한다.

하이어라키를 추상적인 무언가로 생각해서는 안 된다.

하이어라키는 가장 강력한 생명의 수여자임을 확고히 인식해야 한다.

우리는 하이어라키를 중요한 치료약이라고 부른다.

하지만 약도 삼켜야 소용이 있고 연고도 발라야 쓸모가 있는 법이다.

약을 가방에 넣어만 두면 아무 효과가 없다.

하이어라키라는 시혜품도 노력을 기울일 때 받을 수 있다.

그러므로 부단한 노력만이 치유를 가져올 것이다.

그대는 수많은 마법 방식을 목격해 왔으며, 마침내 가슴이라는 자석을 이해하게 되었고 심령 에너지를 인식하는 단계에 접어들었다.

근원 자체에서 힘을 받을 수 있다면 대용물이 왜 필요한가?

인류는 상위 세계로 다가가려고 하기보다는 수많은 축적물을 받아들일 뿐이다.

사람들은 인간의 정수에 가장 가까운 것을 인식하는 일보다는 실현되지 않은 방식을 되풀이하는 게 더 쉽다고 여긴다.

영(靈)이 고통받을 때, 사람들은 발전하려는 노력을 부자연스럽게 생각한다. 하지만 고통받는 것보다는 발전하려고 노력하는 게 낫지 않는가?

하이어라키의 영의 깨달음
420

영(靈)의 깨달음!
어떻게 이 단계에 이를 수 있는가?

 하이어라키를 신봉하지 않고서 어떻게 진리의 주요
원천으로 들어갈 수 있겠는가?

 영은 빛의 원천을 통해서만 깨달을 수 있다.

 하이어라키 속이 아니고서, 어디서 인도하는 빛을
찾겠는가?

인류는 힘을 끌어왔다.

인류 자체가 아니라 위대한 하이어라키의 힘에서
말이다.

이처럼 수 세기 동안 하이어라키의 창조성은 인
류를 인도했다.

인간은 하이어라키의 지고의 힘을 통해서만 인도
될 수 있다.

영의 깨달음은 지고의 하이어라키를 신봉하는 길이다.

그러므로 진리를 추구하는 사람은 하이어라키에
다가가는 길 속에서 있음의 중요성을 발견할 수
있을 것이다.

그렇지 않으면 인생은 고통스러운 굴레로 남게 될
것이며, 영은 수천 년 동안 해방되지 못할 것이다.

하이어라키의 법칙은 인도하는 원리다.

421

하이어라키에서 힘을 끌어오지 않는 한
영(靈)은 힘을 보장받을 수도 선보일 수도 없다.
그 상위의 힘을 취하지 않는 한, 힘을 쓸 수도 없다.

그러므로 각각의 생명의 창조자는 위대한 하이어
라키 속에 있는 연결 고리다.

따라서 하이어라키의 인도는 위대한 섭정이다.

422

고귀하고 비이기적인 생각이 그 사람의 오라를 물
리적으로 변화시키고 어깨에서 광선을 유도함을 안
다면, 그대는 세상의 위대한 신비 중 하나를 이미
알고 있는 것이다.

각각의 가시성은 물리 반응의 반사 작용이다.

따라서 화가 위험을 초래한다면 각각의 고상한
생각은 이로운 물질을 창조하는 것이 마땅하다.

사실이 그러하다.
지복은 완전한 실체다.
그것은 피질계에서 발생해 뇌의 물질과 반응한다.

티베트의 링세는 깊은 의미를 담고 있는데
그것은 지복이 현현해 결정화된 침전물이다.

살아 있을 때는 심장과 뇌를 건드릴 수 없기에
그 지복의 물질을 조사하는 일은 힘들다.

화의 현현은 손발의 신경 통로에서 접근하기에
훨씬 쉽다.

하지만 동시에 인류에게 부정적인 물질을 드러내고 가장 유익한 물질의 존재를 이론적으로만 추정하는 것은 옳지 못한 일이다.

물론, 만들어지고 있는 실험실에서는 양쪽 물질을 증명할 수 있을 것이다.

우리는 평범한 실험은 돕지 않을 것이다.

하지만 진화의 단계가 마련되고 있는 곳이라면 우리의 손길이 보호해 줄 것이다!

우선, 우리는 화의 실제를 밝히는 일에 주의를 기울일 것이다.

그 후에 지복을 현현할 있는 방법을 밝힐 것이다.

고대의 과학이 지복의 침전물들에 관한 단편적인 기억만을 보존했다면,

생화학자는 그에 관한 현대적인 증거를 보여 줄 수 있을 것이다.

나중에, 유기체의 물질에 관한 이러한 실험들은 공간 에너지로 옮겨질 것이다.

그러면 지복이 왜 하이어라키와 가장 밀접한 관계가 있는지 다시 이해하게 될 것이다.

화를 초래하는 일은 불필요하다.
인간이 화로 가득 채워지기 때문이다.

단지 두 발 동물 여섯을 한 방에 가둘 필요가 있다.
그러면 한 시간 안에 문은 위태롭게 흔들릴 것이다.

지복에 관해선 더욱 어렵다.

하지만 여기에도 아그니 요가의 지식과
특정 식물들과의 밀접한 협력을 이용하면
감지할 수 있는 결과를 얻을 수 있다.

아스트랄체의 고밀화는 무엇으로도 대체할 수 없는
가능성을 제공할 것이다.

힘든 시기에는 새로운 접근이 가능하다.

신세계의 발소리가 벌써 들려온다.

424

장미는 행복에 도움이 된다.

유용한 수단은 모두 한 데 써야 한다.

이유 없이 장미가 연금술에서 신비의 상징으로 쓰인 것이 아니다.

하지만 요즘엔 장미 기름에 대한 준비가 제대로 되어 있지 않다.

하이어라키의 본질

425

우리의 길은 참으로 헤아릴 수 없다!

무지한 자에게는 보이지 않는 세계가 존재하지 않는 듯이 느껴진다.

그들은 자신의 거친 감각으로는 지각할 수 없는 모든 것에 편견을 드러낸다.

인간이 성스러운 길을 받아들일 수 없다면, 어떻게 가장 높고 무한한 삶의 토대를 진정 이해할 수 있겠는가?

인간은 모든 정묘한 감각을 깨닫고 느껴야 한다. 그것 없이는 하이어라키를 이해한 증거가 되는 어떤 관련성이나 확언도 있을 수 없다.

Faith는 지식에 대한 예감이다.

존재하는 모든 것의 다양성 안에서 실질적인 토대를 가진다.

추진력처럼, faith는 에너지를 강화하며 그 과정을 통해 공간의 작용하는 능력을 증가시킨다.

사람이 에너지의 긴장을 기꺼이 받아들이는 경우는, 그것이 지복의 실체를 현현하는 일과 연결되어 있을 때다.

그러므로 우리는 고양되고 정제된 의식과 함께 가장 명백한 faith의 길을 가리킬 수 있다.

하이어라키는 하늘에 천둥을 일으키는 확성기다.

절망은 faith의 죽음이다.
하지만 faith는 지식이다.
그러므로 절망은 지식의 죽음, 모든 축적물의 죽음이다.
절망은 언제나 허무의 느낌과 연결된다.

어두운 자들의 일반적인 수법은 피해자를 성과 없는 악순환 속에 가두고 이어서 죄를 범하도록 몰아대는 것이다.

피해자가 위로 향하는 길을 인지하지 못한다면 어디에서 그가 방향을 돌리겠는가?

하이어라키의 지복을 아는 사람에게는 허무와 절망 같은 게 없다.

그러므로 우리는 위쪽을 볼 줄 아는 모든 사람에게 주어질 수 있는 필수적이고 직접적인 혜택을 가르침이 어느 정도까지 염두에 두고 있는지 밝혀낼 수 있다.

사람은 가장 변치 않는 존재로서의 하이어라키로 향하는 법을 배워야 한다.

하이어라키를 향한 기도가 사람에게 어떤 힘을 줄 수 있는가, 어떤 낭비나 망설임도 없이 말이다!

그런데 이 망설임은, 심장박동보다 더 빠르지만, 치명적인 독사보다 더 심하게 의식을 찌를 수 있다.

사람은 하이어라키와의 끊임없는 영적 교감에 익숙해져야 한다. 오직 그렇게만 생명의 둥지가 가슴에 지어진다.

429

세속적인 삶의 기간은 하이어라키 없이 살아지지 않는다.

하지만 차이점은 의식에 의해서 구성될 수 있는 하이어라키의 종류에 달려 있다.

붕괴 과정에서 사람은 황금의 하이어라키로 향할 수도 탐욕의 하이어라키로도 향할 수 있다.

430

사람들은 자신의 에고에 얼마나 많은 중요성을 부여하는가!

자신의 의식으로는 불가해한 것에 의해서 개성이 침해될까 얼마나 두려워하는가!

사람들은 가장 상위의 존재에게 충실하기를 얼마나 두려워하며 어둠의 경계에 머물기를 얼마나 선택하는가!

 영이 지복의 하이어라키를 향해 분투한다면 각자의 의도는 사람을 더 나은 결정에 이르게 한다.

 인간이 하이어라키의 인도하는 손길과 각각의 명령을 받아들인다면 진화의 단계마다 상승할 수 있다.

 역사는 생명의 하이어라키로 이룩되었다.
 인류 최고의 단계는 하이어라키로 이룩되었다.

 최고의 성취는 하이어라키로 확언되었다.

 따라서 사람은 하이어라키를 통해서만이 목적에 도달할 수 있다.

 그러므로 위대한 시대는 선언되었다.
 우리는 고상한 외침으로 공간을 가득 채운다.

하이어라키를 연결하는 불타는 가슴
431

섬세한 가슴은 섬세한 귀에 가깝다.
섬세한 가슴은 두뇌를 변형시킨다.

용기 결여는 이전의 모든 축적물을 헛되게 한다.

외면의 눈이 상형문자의 곡선만을 측정한다면 문자해독능력이 무슨 소용인가!
속되고 성가신 짐일 뿐!

가장자리까지 가득 채워진 것은 자석을 지키는 사람의 성배다!

불타는 가슴은 지복의 에센스가 소멸하는 것을 방지하기 위해 어디서든지 싸울 수 있다.

사람은 가슴을 존재의 추진체로써 이해하는 일에 왜 익숙해져야 하는지를 납득할 수 있다.

사람은 가슴의 줄기가 어떻게 하이어라키와 연결되는지 이해할 수 있다.

가슴이 시들었다면 두뇌는 의식에 대하여 불타지 않을 것이다.

그러므로 우리는 어떻게 유기체가 우주의 위대한 가슴에 속한 일부가 되는지를 화학적으로 인식해야 한다.

내가 신중함을 권할 때는 외부 상황이 넘치게 채워진 성배를 떨리게 한다는 의미다.

432

인류는 어떻게 카르마를 면하고 진화를 향상할까?

위대한 토대를 부정함에 의해서는 아니며
최상위 원리를 헐뜯음에 의해서도 아니고
확언되고 현현된 근원의 파괴에 의해서도 아니다!

인류는 위대한 하이어라키에서 단절됨은 자신을
심연에 빠뜨린다는 사실을 여전히 깨닫지 못하며

자신의 신념을 계속 파괴 속에 두려고 한다.
따라서 자멸은 모든 어둠의 하인의 운명이다.

그러므로 인류가 어둠에 의해 확립된 한계 속으로
나아가는 한, 가장 높은 빛과 구원으로 향하는 길
을 찾지 못하리라.

어떤 상황이 위대한 리더 없이 번영하는가?
어떤 확언된 약속이 리더 없이 존재했는가?

리더의 개념이란 모든 최상위 노력의 종합이라는
사실을 우리는 참으로 이해해야 한다.

그러므로 오직 하이어라키, 깨달은 리더의 개념
만이 영을 인도할 수 있다.

우리 모두 하이어라키의 힘을 숙고하고 기억하자.

이런 깨달음을 통해서만이 사람은 전진할 수 있다.
이런 깨달음을 통해서만이 목적에 도달할 수 있다.

하이어라키에게 던져진 각각의 돌은 던진 사람에
대한 산으로 변형될 것임을 기억하자.
모두 기억하자!
우리는 리더 – 하이어라키를 선포한다!

귀를 기울이고 서로에게 도움이 돼라!
작은 일에서나 큰일에서나 도움이 돼라.

도움은 미래를 두드리는 것이다.
당신은 잔을 가득 채운 그 방울이 어떤 것인지
모른다.

당신에게 고대 인도의 이야기를 상기시키겠다.

Rishiputra왕은 더 이상 잠을 잘 수 없었다.
그래서 잠을 되찾으려고 현자를 불렀다.

현자는 말했다.
"왕이여, 당신의 침대를 살펴보소서."

침대를 조사하자 시트 주름에서 돌 1개가 나왔다.

왕은 고통을 겪었던 이유가 돌이었다고 믿으면서 기뻐했다. 하지만 여전히 잠을 잘 수 없었고 현자는 그 조언을 반복했다.

침대를 재조사하자 이번에는 죽은 나비가 나왔다.

왕은 드디어 불면의 원인을 찾았다고 확신했다. 하지만 여전히 잠을 잘 수 없었다. 현자는 말했다.

"원인 없는 결과는 없습니다. 친히 침대를 살펴보시지요. 어떤 것도 자신의 눈을 대신할 수는 없으니."

왕은 베개 밑에서 겨자씨만큼 작은 금 알갱이를 찾아냈다.

'이렇게 사소한 것이 나를 해칠 수는 없었으리

라.'라고 생각하고 눈감고 잠들었다.

아침이 되자 현자가 지적했다.

"영의 몰락이 4번째로 측정되지는 않습니다. 전쟁에서 뺏은 보물이 과부에게 뺏은 씨앗보다 중할 수는 없습니다. 왕이여, 도움이 닿을 수 있는 어디에서든지 도움이 되소서."

손길이 닿을 수 있는 어디에서든지, 상념이 날아갈 수 있는 어디에서든지 도움이 돼라.

이처럼 우리는 미래를 두드리게 될 것이다.

자신에게서 나온 각각의 시간은 미래를 위해 기록될 것임을 기억하자.

그 흐름을 지속하는 손길이 위축되지 않는다면 우리의 협력은 필요한 모든 것을 가져오게 된다는 사실에 익숙해져야 한다.

도움으로 불타오르는 가슴은 우리의 가슴이다.

무지한 자는 끔찍한 시간을, 아는 자는 빛나는
시간을 직면하게 될 수도 있다.

국가의 진정한 존엄이 어디에 있는지를 인류는 언제쯤 이해할까?

신성한 영은 보호되어야 하며, 상념의 운반자가 유일한 소스로서 국가를 인도할 수 있음을 언제쯤 이해할 수 있을까?

그러므로 상념의 소멸을 통해 누군가는 국가의 힘 또는 예정된 영향력을 박탈할 수도 있다.

방향키 없는 배는 폭풍을 견딜 수 없으므로, 각 국가는 먼저 자신의 선도자를 중히 여겨야 한다.

그러므로 각 국가의 건설과 유지는 하이어라키에 기초를 쌓아야 한다.

왜냐하면, 각각의 구조에는 상위의 힘이 충분히 스며들어야 하기 때문이다.

하이어라키에 관한 이해가 확언되지 않는 한, 인류는 파멸의 어둠과 무지 속으로 가라앉을 것이다.

어두운 자들이 경계하는 이유가 그것이다.

그들은 이 세계가 얼마나 강력하게 재건해야 하고 추구하는지를 감지하기 때문이다.

그러므로 어두운 자들은 스스로의 파멸을 확언한다!

 가슴의 에너지 없이는 누구도 협력, 도움, 하이
어라키를 이해할 수 없다.

 지성의 박식함도 마음도 빛을 비출 수 없는 곳에
서는 가슴의 단호함만이 완전한 이해의 무지개를
불타게 할 수 있다.

가슴을 이해하는 방패가 가장 영구적이다.
검은 고통을 꿰뚫는다.
하지만 가슴은 영웅의 요새다.

바위를 지키는 사람인 당신에게는
영웅적 자질만이 적합하다.
확고함과 용기만이 당신에게 적합하다.

영웅의 엑스터시는 가슴의 단호함과 함께 다시 온다.

혼돈의 시대에는
인류를 위한 1가지 구원만이 존재한다.

하이어라키에 대한 이해로 이끄는 상념은
인류가 최상위의 확언된 하이어라키의 실현이라는
목적을 이루게 하는 유일한 길이다.

그러므로 혼돈의 시대에는 오직 하이어라키를 따름으로써 최고 단계에 도달한다.

영의 리더십은 모두를 아우르고 포함하는 힘이기 때문이다.

그것은 우주 자석이 영의 리더십을 통해서 인류에게 힘을 보낼 때 발휘될 수 있다.

그러므로 사람은 하이어라키를 통한 과정을 행성에 대한 구원으로 받아들여야 한다.

상상력조차도 수 세기에 걸친 오랜 경험의 축적으로 창조된다.

영의 모든 속성에도 같은 법칙이 적용된다.

영웅적 자질 역시 삶에서 창조되고 단련되어야 한다.

우리는 영의 확고부동함이 다시 증명되어야 하는 시점에, 당신에게 무심코 과거 영웅의 시대를 상기시키지는 않는다.

우리는 무적의 용맹한 영웅적 자질이 얼마나 빨리 현현되어야 하는지를 상기시킨다.

그렇게 영의 축적물들이 깨어난다.

만약 그것이 삶에서 겪는 경험에 의해 정당화되지 않았다면 영웅적 자질의 아름다움에 대한 실현이 어떻게 창조될 수 있겠는가?

만약 영이 성취의 광선에 따르는 황홀감을 기억하지 않는다면 어떻게 사람이 영웅적 자질은 아름답다고 확언할 수 있겠는가?

만약 성취의 날개가 아니라면 무엇이 우리를 평범한 사람들의 혼돈 위로 들어 올릴 수 있겠는가?

그러므로 하이어라키가 이전에 영을 강화하고 고양했던 것과 같은 감정의 불꽃을 불러일으킬 때가 가장 바람직하다.

지구가 흔들릴 때 사람은 영의 갑옷을 모아야 한다.

산이 두려움에 떨고 나무가 공포를 느낄 수 있는가?

만약 그것들의 영이 인간의 발전된 의식과 접촉한다면 틀림없이 그럴 수 있다.

하지만 호수가 기뻐하고 꽃이 즐거울 수 있는가?

꽃은 인간의 눈길에도 시들곤 하니 틀림없이 그럴 수 있다.

그런 것이 하이어라키의 최저와 최고 사이를 연결하는 상관관계다.

매우 정제된 영만이 바위 속에도 있는 형제를 인정할 용기를 자신의 내부에서 발견할 것이다.

우리와의 영적 교감이 목적일 때는 위대한 단호함,
위대한 결심을 증명해야 한다.

사소한 불성실함도 수많은 재난을 만든다.

나는 들을 귀를 가진 자들에게 경고한다.

국가들의 거대한 전환에서 무엇이 구원의 현현이
될 수 있겠는가?

하이어라키를 향한 길이 아니라면, 다른 무엇이
선(善)으로 가는 길을 마련할 수 있겠는가?

인류의 영이 더 낮은 층으로 가라앉을 때, 만약
하이어라키에 대한 충실함이 아니라면 무엇이 인
류의 영을 더 높은 이해의 단계로 끌어올릴 수
있겠는가?

불의 새 시대가 다가온다.

어떤 것이 인류를 위대한 성취와 변화에 이르게
하겠는가?

불의 새 시대는 하이어라키에 충실한 영에 의해서 동화될 수 있다.

그러므로 우리의 동료들은 사람이 오직 불같은 노력으로써만 목적을 달성할 수 있음을 이해해야 한다.

불의 새 시대에
사람은 오직 불에 의해서만 이룩할 수 있다.

이기주의에 속한 각각의 표현, 각각의 냉담함, 각각의 지체됨은 파멸의 현현이다.

하이어라키에 대한 경멸은 가장 악랄한 것이다.

당신이 the Three Pearls of the World에 대해 숙고하고 싶다면, 당신의 가슴을 신성한 3개의 강(많은 땅을 양육하는)에 힘을 부여하는 산꼭대기로서 느낄 수 있겠는가?

당신은 어느 한 부분을 축소하지 않고 의식의 삼위일체를 마스터할 수 있는가?

영은 가분성(divisibility)에 익숙해져야 한다.

사람은 경사진 언덕 가운데에서도 회오리바람의 모든 짐을 감당하는 눈 쌓인 산꼭대기를 상상할 수 있다.

그래서 불완전의 모든 짐을 스스로 감당하는 아
라한이 출현한다.

구름이 산꼭대기 주위를 맴돌면서
이따금 그것을 세속적인 눈길로부터 가리듯이

그렇게 세계의 피곤한 짐들은
아라한의 성배를 꿰뚫는다.

사람은 강을 양육하기 위해
노력의 요새를 보유해야 하며

하이어라키에 대한
모든 불굴의 봉사를 증가시켜야 한다.

봉사는 왜 위대하다고 일컬어지는가?

무한자(the Infinite)에게 다가가기 때문이다.

이것은 당신이 the Three Pearls of the World에 대해서 생각할 수 있는 척도이다.

하이어라키의 완전무결함

444

인간의 불완전함에 대한 증거가
강대한 규모에서 현현할 때
공간의 불은 특히 격렬해진다.

우주의 모든 생명 있는 현현에 스며드는 불은
새로운 몸의 형성을 향해 맹렬히 돌진한다.

하지만 인류의 필수적인 액션 중
그에 상응하는 현현이 없을 때는

틀림없이 파멸이
우주와 인간의 확언 양쪽에서
스스로를 주장한다.

우주가 그것의 센터를 우주불 속에 가졌듯이
인류는 하이어라키에 있는
자신의 불타는 센터를 인식해야 한다.

하이어라키는 인류를 인도하며
강력하게 이끄는 원리가 인류에게 스며들게 한다.

그러므로 사람은 불타는 가슴의 최상위 하이어라
키의 실현을 향해서 분투할 수 있다.

인류는 모든 최선의 노력을 달성해야 한다.

오직 그렇게만 사람은 진화 과정에서 전진할 수 있다.

오직 하이어라키에 충실해야 만이
사람은 나아갈 수 있다.

이런 이유로
전환의 위대한 시기에
인류는 오직 하이어라키를 통해서만 이겨낼 수 있다.

그러므로 국가의 구원자로서
리더의 위대함을 깨닫는 일은 필수적이다.

이 시대는 엄격하지만 위대하다.

이처럼 우리는 위대한 미래를 건설할 것이다.

접근법은 무한하다.

그렇다면 패배도 마찬가지다.

어디에 승리가 있는지
어디에 패배가 있는지
분별하는 사람은 거의 없다.

사람은 어둠의 너머에서
승리를 향한 영적인 성장과의 관계를 알아야 한다.

어둠은 웰빙의 마야를 보여줄 수 있으나
빛은 폭력적인 소란을 입증할 수 있다.

각자는 최단 경로를 따라서 분투한다.

하지만 누가 최고의 성취를 상상할 수 있는가?

하이어라키와의 연결만이 최고 경로의 유일함을 드러낼 수 있다.

우리의 결정은 성취를 최단 경로라고 간주한다.

어두운 자들은 대담성을 나쁜 징후로 여긴다.

우리는 가파른 경로를 피하지 않기로 결심했다.

하지만 그들에겐
각자의 상승은 불필요한 힘의 낭비다.

우리와 함께라면
빛의 광선은 육아(肉芽)형성의 다리를 놓는 것이다.

하지만 그들은 공허함을 꿈꾼다.

우리는 각각의 용감한 도약을 이해한다.

하지만 그것은 어두운 자들에게는 무모함이다.

그러므로 지혜의 용감함과
반역의 무모함 사이에는
오직 가슴만이 서 있다.

그것은 하이어라키의 문을 보호하고 열게 될 것이다.

자신의 가슴으로부터 스승의 가슴으로 이어진 은
줄을 따르는 사람은 잘못을 더 적게 범할 것이다.

거부가 없는 가슴으로 향하는 1방향을 받아들이는
일은 필요하다.

가슴의 채널은 정화되어야 한다.
운명의 은줄처럼
그것은 행성을 보호하는 그물이 되지 않겠는가?

사람은 가슴을 저급한 물질의 얼룩이라고 생각하지
말아야 한다.

만약 그렇다면
어떻게 상위 세계와 접촉할 수 있겠는가?

사람은 스스로를 승리의 상념에 익숙해지게 해야 한다.

다른 점에서는
얼마나 많은 패배가 냉담함의 결과인가.

냉담함은 항상 패배다.

과거에 그랬던 것처럼, 미래에도 그럴 것이다.

하이어라키의 가슴의 협력

447

위대한 건설 기간엔
틀림없이 전투도 굉장할 것이다.

어두운 자들이 그들의 무기를 잃을까 두려워하기
때문이다.

그러므로 선(善)을 향해 분투하는 각자는 의심할
여지 없이 공격을 불러일으킨다.

그런데도 사람은 빛의 하인의 난공불락인 특성을
이해해야 한다.

왜냐하면, 가슴에 하이어라키가 격렬하게 불어넣
어질 때, 모든 적대적인 공격을 극복할 수 있기
때문이다.

개인적인 감정은 위대한 구조의 근본을 침식한다.

인류는 너무나 많은 경이를 파괴하였다.
리더십이 거부되었기 때문이다.

따라서 리더십의 위대함을 깨닫지 못한 사람은
절대 성공하지 못할 것이다.

그러므로 가장 가까이 있는 자와 가장 멀리 있는
자는 각각 확언된 법칙의 흐름을 감지해야 한다.

하이어라키는 협력이다.

하지만 협력과 더불어, 에너지의 강화는 지속적인 불꽃의 순환을 초래한다.

위에서부터 아래쪽으로
아래에서부터 위쪽으로

이렇게 불타는 급류를 생산하는 발전기는 가슴이다.

그것은 다른 무엇보다도 하이어라키가 가슴에 대한 가르침이라는 의미다.

사람은 가슴을 중앙의 원동력으로 이해하는 것에 익숙해져야 한다.

가슴의 중요성을 이해하지 않고는 불꽃을 이해할
수 없다.

나는 당신에게 많은 센터를 이야기했지만, 지금
특히 성배(Chalice)와 가슴을 강조한다.

성배는 과거이며
가슴은 미래다.

이제, 틀림없이
우리는 오직 유일한 은줄을 따라서만이
상승을 성취할 수 있음을 이해한다!

그러므로 특히
운명 지워진 구조를 주의하자.

화학자는 특정한 시험관에서의 희귀한 반응을 중
시하는데,

만약 시험관이 부서진다면 이 세계 그 무엇도
그 반응을 되풀이할 수 없을 것이다.

따라서 그것은 우리의 구조와 함께한다.

마찬가지로 가슴을 가시적인 세계와 비가시적인 세계 사이의 유일하고 자연적인 연결 고리로 이해해야 한다.

많은 분비물이 양쪽 세계의 가장 낮은 층들을 둘러 감지만,

오직 가슴의 줄만이 무한으로 인도할 수 있다.

영의 본성과 마법 사이의 차이가 여기에 있다.

그러므로 가장 먼저, 나는 운명 지워진 세계 통일의 근원으로서의 가슴에 유의하기를 조언한다.

하이어라키가 단순한 규율이라고 생각해서는 안 된다. 그것은 상위 세계로의 전진이다.

계획의 불변성에 대한 깨달음은
각 생각의 방향을 진리로 나아가게 한다.

영의 창조성은 전방으로 몰입된 분투를 요구한다.

그러므로 각각의 망설임은 건설적인 접근을 날려
버린다.

창조성의 근본적인 특징은 하이어라키를 똑바로
따르는 것이다.

오직 그렇게 함으로써만 그 길이 최상의 위업으
로 인도한다고 확언될 수 있다.

하이어라키로의 접근이 아니라면 달리 어떻게 인
류가 공간의 불과 접촉할 수 있겠는가?

그러므로 하이어라키의 으뜸가는 원리는
인류를 새로운 전진으로 맹렬하게 밀어붙인다.

이렇게 강력한 발전 없이는
어둠이 행성을 삼켜버릴 것이다.

하이어라키의 미래를 향한 가슴

451

사람이 요가의 목적과 조건을 상세히 설명해야
한다면, 신청자의 숫자는 많지 않을 것이다.

그들에게는 자기 본위를 포기하는 일이 굉장히
두려울 것이다.

요기(Yogi)가 부족한 시기에나
풍족한 시기에나
동일함을 느낄 때

그가 스스로를 단지 과정의 처리자로만 느낄 때
그가 이 세계에 봉사하면서 자신의 목적지를 느끼고
상위 포스와의 교제에서 자신의 휴가를 느낄 때

이런 삶의 방식은
모든 주변의 불완전한 부담에 대한 가정하에서
대다수 사람에게는 마음에 들지 않을 것이다.

 많은 사람이 성경의 오역된 문장으로 스스로를
안심시키면서 미래를 전혀 생각하지 못한다.

 우리는 세속적인 것을 과도하게 생각하지 말아야 하며
 그런데도 우리가 미래를 생각하지 말아야 한다는
말은 어디에도 없다.
 미래에 대한 상념은 이미 무한자에게로 가는 입
구와도 같다.

 따라서 미래를 생각하라.

 그러면 당신은 이 상념이 하이어라키에 의해서
지지될 것임을 확신할 수 있다.

452

사람은 정확하게 우리를 무진장한 샘이라고 생각
해야 한다.

그렇지 않으면
지상의 강들은 바싹 말라붙을 수도 있다.

우리는 생명의 근원이 되는 가르침에 대해
지금까지 많이 이야기했다.

세계들을 연결하는 일은
이미 유익한 정복이 된다는 것을 이해해야 한다.

단지 영의 분명한 승리를 위해 분투함으로써
인생을 개선하는 일이 얼마나 수월한가!

과학의 모든 발견이
인간의 생각을 확장하지 않는 것이 가능한가?

당신이 하이어라키의 토대를 이해할 때
우리는 가슴에 영을 집중시키는 일에 대한
설명을 진행하게 될 것이다.

세계들의 사슬을 연결하기 위해서는
가슴에 특별한 주의를 기울여야 한다.

오직 그렇게 함으로써
우리는 영의 자연적인 성장에 속한
경계선 내부에서 계속 나아가게 될 것이다.

영의 거처는 가슴에 있다.

하이어라키에 대한 상념은
가슴에 의해서 영화(靈化)된다.
그러므로 우리는 참된 축적의 에센스 안에서
이전처럼 머무르게 될 것이다.

지도(Guidance)하는 힘은
인류에게 모든 노력을 불어넣는다.

진보를 향한 각각의 성취는
상위 의지에 의해 확언된다.

보증(guaranty)은 상위 의지와 동화 작용 사이의
상관관계에 따른 확언에 의해서만 현현된다.

그러므로 하이어라키와 제자 사이의 직접적인 유
대가 인류에게 드러난다.

따라서 진실로 위대한 힘은
모든 최고의 시작을 연결하는
은줄의 기반이 된다.

참으로 승리는 상위 의지와의 유대 관계에서 기
반이 된다고 확언할 수 있다.

의식이 벌써 하이어라키의 중요성을 수용할 수 있는 모든 사람은 먼저 영에 대한 모독을 중지해야 한다.

일상생활 하는 동안에
무가치한 많은 모독이 생각되고 말해진다.

이렇게 감지되지 않는 반역 때문에
가장 위험한 독약이 생산된다.

흔히 그들의 결과는
우둔한 무지에 의한
1가지의 악행보다 더욱 끔찍하다.

모독이라는 혐오스러운 습관을 고치는 것은 쉽지 않은데, 흑백 사이의 경계선이 뒤얽혀 있기 때문이다.

우리는 이런 오염을
암과 유사한 검은 궤양이라고 부른다.

게다가 일반적으로 암의 의미는
영적으로 혐오스러운 행위의 결과에서도 멀지 않다.

사람은 지도자를 향하는 분투와 마찬가지로
자신 안에서 최상의 하이어라키에 대한 이해를
발전시켜야 한다.

하이어라키에 대한 기록을 종결하면서
그것을 숙고하라.

우리는 어떤 것도 종결하지 않으며
단지 이어지는 문들을 여는 것이다.

영의 창조성은
포스를 가장 강력하게 끌어당기는 힘이다.

씨앗 주위에는 1가지 동일하고 불같이 끌어당기는
힘에 의해서 통합된 다양한 입자가 모여들어 있다.

각각의 시초는
이 불같이 끌어당기는 힘을 통해서만
존재할 수 있다.

그러므로 하이어라키의 힘은
만물의 연결을 유지하고
모든 가능성을 확장하는 위대한 자석이다.

하이어라키의 원리는
모든 필수적인 현현의 기반이다.

하이어라키의 원리는 전체 우주를 인도한다.

그러므로
영의 창조성은
공간의 모든 현현에 불이 스며들게 한다.

위대한 지도(Guidance)의 상징은
우주에 확립된다.

두려움은 추악함을 발생시킨다.

두려움에서 비롯된 것은 가치 중요성이 없다.

두려움을 통해서 하이어라키에게 다가가는 것은
불가능하다.

두려움의 해악을 깨닫기 전에는
최상위 사슬의 적용법을 이해할 수 없다.

하이어라키로 향하는 수많은 길이 있다.

하지만 두려움의 미끄러운 불안정함은
곤경에서의 상승을 견딜 수 없을 것이다.

그리고 떨리는 손은 지금까지 신중하게 준비되어
온 난간을 느낄 수 없을 것이다.

두려움 없는 상태는
헌신과 똑같이 이해되어야 한다.

헌신은 광범위하다,

그런데 당신은 두려움이 얼마나 다색(多色)인지를
기억하리라.

전혀 나쁘지 않은 사람조차도
두려움에 소스라칠 수 있다.

이런 감염은 그 사람에게서
상승을 영원히 박탈할 수도 있다.

이런 이유로
사람은 자신의 두려움을 치유해야 한다.

사이킥 에너지 외에도
사향이 유용하다.

왜냐하면, 그것은 신경계를 강화하고
보호망에 불을 붙이기 때문이다.

그러므로
가슴과 성배(Chalice)의 센터들을 강화하는 일은
보호망에 필요한 힘을 준다.

가슴, 불타는 성배는
상승하는 이들의 길에서 당신을 밝게 한다!

459

영의 상승으로 이끄는 가슴의 길, 불같은 길은
우주 자석의 끌어당기는 힘에 속하는 1가지 동일
한 자극이 불어넣어짐에 의해서 발전된다.

섬세하고 불타는 가슴은
얼마나 많은 종류의 갈래를 보유하는가!

하지만 그것의 근원은 1가지이며
그것의 잠재력은 유일한 근원, 하이어라키에 의
해서 불어넣어진다.

가슴의 길, 불같은 길은
하이어라키의 위대한 정상에서 나아가며
Pearl of the World로 이끈다.

그러므로 우리는
세계들을 통합시키는
경이로운 은줄과 가슴의 불꽃을 확언한다.

그러므로 우리는
은줄에 의해 현현된
창조성을 통해서 정복한다.

용감한 눈은 흐려지지 않는다.

용감한 눈은 하이어라키의 태양 속을 바라볼 것이다.

울지 않음, 성내지 않음, 이득을 좇지 않음은
하이어라키로 향하는 입구가 될 것이다.

그런데
자진하는 봉사, 진심 어린 존경, 의식적인 상승은
사람을 빛의 문턱으로 데려갈 것이다.

우리는 Satya Yuga의 1단계가 더 시작된
이 위대한 날에
우리의 저술을 마친다.

상승의 단계는
성경을 통해서 오래전에 선포되었다.

하지만 시장바닥 먼지가
사람들의 눈을 흐렸다.

그래서 오늘이다.

다시 한번 질문이 있을 것이다.

"집합 나팔이 어디에 울리는가, 천사들의 날개가
어디에 있는가, 산과 바다가 어디에서 갈라지는가?"

눈먼 자들은
식사 신호를 들으려고
폭풍우 속을 나아간다.

그러므로 치유는
가슴의 하이어라키에 대한 깨달음 속에 있다.

가르침은
올바른 길을 인지하는 사람에게 드러날 것이다.

메신저가 그들의 문을 두드릴 것이다.

평화 지음 / 15,000원 (2018.03.22)

성공에 대한 비밀을 알고 싶었던 사람들은
『시크릿』을 읽음으로써 소원을 달성하는 방법을 알고자 하는,
이른바 '시크릿'의 염원을 품었다.
하지만 『시크릿』과 같은 자기 계발 서적에는
독자가 원하는 '구체적으로 소원을 달성하는 방법'을
제시하는 것이 거의 없었다.
저자는 '시크릿'과 소원 성취에 관한 구체적인 방법을
일반인에게 제시한다.

Elizabeth Towne, 정재훈 지음 / 15,000원 (2021.07.30)

당신은 지금, 이미 성공한 사람입니다.
당신은 당신이 되려고 하는 모든 것입니다.
당신의 소원, 성공은
이 책을 참고하여 올바른 의지를 세우는 순간,
이미 달성되었습니다.

매직머니 추천도서

William Walker Atkinson, 정재훈 지음 / 10,000원 (2021.11.05)

생각은 물질이다.

존재는 자신이 가진 생각 그 자체다.

사업은 자신의 선한 상념을 물질계에 구현하는 신성한 행위다.

당신은 당신만의 현실을 창조하고 있다.

당신은 무언가를 두려워할 필요가 없는 존재다.

본서에서는 딱딱한 이론적 설명을 최대한 배제할 것이다.

실질적인 체험, 결과를 바탕으로 지금 당장 활용할 수 있는 방법을 제시한다.

William Walker Atkinson 지음 / 10,000원 (2022.02.14)

나의 유일한 목적은 인간 내부에 잠재하는 강력한 포스들(개인적인 자기력, 심령적인 영향력)을 계발하고 효과적으로 사용하는 수단을 알리는 것이다.

자신에게 나는 영원한 삶의 원리 일부분이라고 말하라.

신성한 이미지를 따라서 창조되었다고 말하라.

생명의 신성한 숨결로 가득 차 있다고 말하라.

아무것도 나를 해칠 수 없다.

나는 영원의 일부이기 때문이다.

『상념 포스의 활용』의 토대가 된 1900년 作 원문번역본

Joseph S. Benner 지음 / 12,000원 (2022.01.18)

이 책에 시선을 둔 그대에게, 나는 말한다.

영혼이 지치고 낙심하여 거의 희망이 고갈된 그대여.

나는 그대, 그대의 신성한 자아, 내부의 영, 그대의 영혼, 초월적 자아 곧 진정한 그대다.

이 책에 담긴 깊고 생명력 충만한 진리를 더 잘 이해하려면 고요하고 열린 마음으로 접근해야 한다.

지성을 잠재우고 그대의 영혼을 초청하여 가르침을 행하게 하라.

그대, 함께 할 준비가 되었는가?

A.E. 포우웰 지음 / 13,000원 (2022.02.23)

치유와 죽음은 왜, 어떤 원리로 일어나는가?

전기 에너지와 경락의 흐름은 프라나(Prana), 쿤달리니와 어떤 연관
이 있으며 침, 뜸의 효과는 어떻게 설명되는가?

보이지 않는 무엇이 있을까?

이를 밝힌다.

1925년에 발행된 인간의 내부 구조를 주제로 한 5부작 중 첫 번째

매직머니 추천도서

C.W. Leadbeater, Annie Besant 지음 / 15,000원 (2022.04.01)

생각은 실체를 가지고 있다.

우주의 법칙에 따라 아름다운 색채의 향연으로 우리 앞에 모습을 드러낸다. 살면서 품게 되는 모든 생각과 상상은 현실에 지대한 영향을 미친다.

생각이 물질계에 표현되는 방식과 원리를 알고, 지극히 작은 자신의 상념 한 조각조차도 거대한 결과를 이루는 씨앗임을 깨닫는다면

앞으로의 인생의 목표, 삶의 방향은 놀랍도록 바뀔 것이다.

C.W. Leadbeater 지음 / 11,000원 (2022.02.08)

단순 투시

단순히 눈이 뜨임으로써 주변에 있는 아스트랄 혹은 에테르 질료의 물체를 무엇이든지 볼 수 있게 되는 것. 현재 이외의 다른 어떤 시간에 속하는 장소나 광경을 보는 능력은 포함되지 않는다.

공간 투시

투시자로부터 공간적으로 떨어진 광경이나 사건을 보는 것. 보통의 눈으로는 볼 수 없을 정도로 매우 멀리 있거나 장애물에 가려 보이지 않는 대상을 투시하는 능력.

시간 투시

시간상으로 떨어진 사건이나 대상을 보는 것. 과거나 미래를 들여다보는 능력이다.

카라 지음 / 15,000원 (2020.05.16)

온 국민이 코로나 사태로 고생하고 경제 전망도 어두운 때 희망을
선사하는 책이 나왔다. 표지와 제목은 물론 기발한 내용으로 가득 차
있다. 한국이 2022년 카타르월드컵 우승할 수 있다는 대담한 선언!
알베르트 아인슈타인이 "지식보다 중요한 것은 상상력(Imagination)
이다."라고 했는데, 저자는 상상하는 것(Imaging)과 상상력을 사용
(Imagining)하는 것은 전혀 다른 것임을 명확히 설명한다.

나와 당신의 이야기,
그리고 그림

신성 지음

신성 지음 / 15,000원 (2020.07.31)

누구에게나 하루의 순간 중에 잠시 떠오르는 추억이나 애틋한 감정
이 있다. 저자는 이러한 감정을 놓치지 않고, 그중 선명한 한 가지를
주제로 하여 차별 있는 나만의 이야기로 정리하였다. 그리고 '벗님 카
페'라는 직장인 음악 밴드에 연재하던 글을 모아 출간하였다.

또한, 〈나와 당신의 이야기, 그리고 그림〉의 또 다른 볼거리인 그림
은 미국에서 화가로 활동 중인 저자의 누나가 직접 그린 그림이다. 고
향에 대한 그리움을 떠올리며 그린 수채화와 정물화가 저자의 일상을
더욱 풍성하게 만들어 준다.

한사랑 지음 / 17,500원 (2022.03.20)

30년 만에 명상록을 다시 복간하면서 감회가 새롭습니다.

2022년 한국은 지난 1만 년 한국 역사를 통합하고 새로이 도약하는 시점에 도달했습니다.

한국의 도약은 지난 60년간 한국에 화신한 영적인 영혼들이 모두 깨어나는 그 에너지에 의한 것이기도 합니다.

92년 WHITE VACUUM 출판사를 만든 이후로 지난 30년간 IMF, 서브프라임, 우크라이나 전쟁을 겪으면서 한국과 세계는 문명상승과 하강의 분기점에 도달했습니다.

한국의 도약은 남북통일을 가능하게 할 것이고, 세계 전체를 다시 하나로 융합하는 에너지를 발산하게 할 것입니다.

모쪼록 앞으로 출간하는 다양한 책이 한국의 도약과 세계 평화를 완성하는 강렬한 불꽃을 발화시키는 역할을 하기를 기대합니다.

모리아 대사 지음 / 12,000원 (2022.04.29)

신과의 합일인 요가.
인도 8대 요가 중
모든 것을 변화시키는 불의 요가에 관한 책.

아그니의 생각의 불, 마음의 불, 영혼의 불로
자신의 삶과 세상을 변화시키기.

모리아 대사 지음 / 12,000원 (2022.04.29)

세상에 위계가 존재하듯이
우주에도 위계가 존재한다.
우주의 위계는 완벽과 질서와 조화로 만들어진다.
일체 모든 것, 신성과 만물을 알고자 한다면
하이어라키를 알아야 한다.

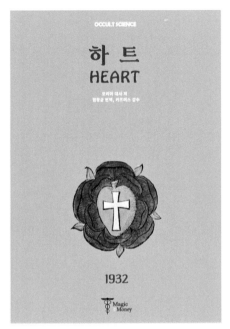

모리아 대사 지음 / 12,000원 (2022.04.29)

하늘과 땅의 모든 것이 압축된 곳
세상의 모든 고통이 존재하는 곳
세상의 모든 전쟁의 원인이 존재하는 곳
그 원인을 제거할 유일한 열쇠가 있는 곳
인류의 하트에서 정의로운 불꽃이 일어날 때
세상은 전쟁이 사라지고 평화가 정착된다.

알렉산드라 데이비드-닐 지음 / 16,000원 (2022.05.10)

한 서구 여성이 파헤친 티베트의 신비
불교의 진수가 현존하고 그 외 잡다한 종교가 난무하는 가운데
사십구재의 진정한 의미인 바르도(Bardo)의 세계 등
참된 가르침과 초월적인 능력을 터득해가는 구도의 여정

알렉산드라 데이비드-닐 지음 / 15,000원 (2022.06.16)

불교의 정수가 현존하는 땅 티벳에서 탐구한 서구 여성의 구도 기록 제자도와 신비적인 가르침 그리고 여러 영적인 훈련 및 심령 훈련에 대해 자신이 직접 체험한 내용을 생생하게 묘사하고 있다.

티벳의 여러 심령현상과 그에 대한 과학적인 설명을 흥미진진하게 이야기한다.

매직머니 추천도서

Elizabeth Towne 지음 / 8,500원 (2022.07.17)

더 행복하고, 건강하고, 균형 잡힌 삶을 살 수 있도록 도와줄 삶의
힘을 깨우는 법을 배우세요.
당신은 마음가짐과 집중을 통해 신체적, 정신적 안녕에 대한 통제력
을 가질 수 있는 능력이 있습니다.

이 책은 당신의 심리 상태를 어떻게 개선할 수 있는지 알려주며
그로 인해 당신의 삶은 송두리째 바뀔 것입니다.

앞으로의 인류의 미래는?

앞으로 인류 문명은 상승 곡선으로 나아갈 것인가?
아니면 하강 곡선을 만들면서 파멸의 구도가 전개될까?

인간의 운명도 의지가 강한 자는 바꾸는 것이 가능한
데, 인류 문명의 방향성도 바꾸는 것이 가능하지 않을까?

수많은 고대 문명이 존재했었고
그러한 문명이 하루아침에 사라진 것은
파멸의 형태인가 아니면, 도약의 형태로 사라졌는가?

플라톤, 피타고라스 같은 고대 선지자와 매스터들이
퇴보하는 각 시대의 문명을 변화시키기 위해 어떻게 노
력했을까?

자신과 인류의 미래를 변화시키는 것을
공부하고 연구하고 싶은 분은

sita7@naver.com (메일)
010-2231-9977로 연락해주시기 바랍니다.